© del texto	Pep Bruno 2007
© de las ilustraciones	Mariona Cabassa 2007
© de esta edición	OQO Editora 2007
Alemaña 72	36162 PONTEVEDRA
Tfno. 986 109 270	Fax 986 109 356
OQO@OQO.es	www.OQO.es
Diseño	Oqomania
Impresión	Tilgráfica
Primera edición	marzo 2007
ISBN	978.84.96788.21.3
DL	PO.131.07

Para J., M. y M.J. **P.B.**

Pep Bruno & Mariona Cabassa

LiBRO de CONtaR

OQO EDITORA

El **1**, que es Miguel,
corriendo va al corral.
Merienda, el muy goloso, pan con miel.

El tío Paco es **2**.
Se apoya en su bastón,
en la otra mano lleva
un girasol.

Anselma tiene el **3**.
La que hizo cococó
y puso un huevo:

¡Juan se lo comió!

A Juan le toca el **4**.
Se va a jugar un rato
y pide la pelota al tío Paco.

El **5** es la pelota,
que sube, salta, bota
y asusta a las gallinas
algo bobas.

Abuelo tiene el **6**.
Montado en su caballo,
del campo llega tarde
y muy cansado.

El **7** es el caballo,
que vino galopando.
Mastica hierba fresca con agrado.

El gato negro es **8**.
Parado al pie del pozo,
bosteza y bufa:
   ¡menos alboroto!

La tía Elena es **9**.
Buscando flores viene:
las quiere para hacer un ramillete.

El **10** es el del pájaro.
Descansa en el naranjo
después de haber cenado escarabajo.

El **11** tiene el sol.
Despacio va rodando,
se quiere ir a dormir al otro lado.

La luna, ¡**12** al fin!
Es la última en llegar
y manda a todo el mundo
a descansar.

El **11** tiene el sol.
Con mucho sueño va;
solito, sol solito, duerme ya.

El **10**, el pajarillo,
volando va a su nido;
seguro que al llegar ya se ha dormido.

La tía Elena es **9**.
Oliendo está una flor,
regresa mientras canta su canción.

El gato negro es **8**.
Al fin, tranquilo y solo,
se mece junto al árbol, perezoso.

El **7** es el caballo.
Dormita, sosegado,
soñando con el heno de los prados.

Abuelo, que es el **6**,
contando va a cenar;
un paso y dos y tres y cuatro van.

El **5** es la pelota,
que duerme cual marmota
y sueña que entre niños bota y bota.

A Juan le toca el 4.
Primero asusta al gato,
y, haciendo que es un tren,
se va cantando.

Anselma va en el 3.
Un libro de contar
le cuenta a los pollitos del corral.

El tío Paco es **2**.
Se apoya en su bastón.
Cojea y va despacio el girasol.

El **1**, que es Miguel,
se queda hasta el final
y cierra la cancela del corral.